U0309307
1580242821

中华人民共和国国家标准

数字同步网工程技术规范

Technical code for engineering of
digital synchronization network

GB/T 51117-2015

主编部门：中华人民共和国工业和信息化部
批准部门：中华人民共和国住房和城乡建设部
施行日期：2 0 1 6 年 5 月 1 日

中国计划出版社

2015 北　　京

中华人民共和国国家标准
数字同步网工程技术规范
GB/T 51117-2015
☆
中国计划出版社出版
网址：www.jhpress.com
地址：北京市西城区木樨地北里甲11号国宏大厦C座3层
邮政编码：100038　电话：(010) 63906433（发行部）
新华书店北京发行所发行
三河富华印刷包装有限公司印刷

850mm×1168mm　1/32　2印张　48千字
2016年1月第1版　2016年1月第1次印刷
☆
统一书号：1580242·821
定价：12.00元

版权所有　侵权必究
侵权举报电话：(010) 63906404
如有印装质量问题，请寄本社出版部调换

中华人民共和国住房和城乡建设部公告

第892号

住房城乡建设部关于发布国家标准《数字同步网工程技术规范》的公告

现批准《数字同步网工程技术规范》为国家标准，编号为GB/T 51117—2015，自2016年5月1日起实施。

本规范由我部标准定额研究所组织中国计划出版社出版发行。

中华人民共和国住房和城乡建设部
2015年8月27日

前　言

根据住房和城乡建设部《关于印发〈2010年工程建设标准规范制订、修订计划（第一批）〉的通知》（建标〔2010〕43号）的要求，由中讯邮电咨询设计院有限公司、中国移动通信集团设计院有限公司会同有关单位共同编制而成。

本规范在编制过程中，编制组经广泛调查研究同步技术及同步网络发展情况，认真总结实践经验，并在广泛征求意见的基础上，最后经审查定稿。本规范共分6章和4个附录，主要内容包括总则、缩略语、同步网网络规划、同步网工程设计、同步网工程施工要求、同步网工程验收等。

本规范由住房和城乡建设部负责管理，由工业和信息化部负责日常管理，由中讯邮电咨询设计院有限公司负责具体技术内容的解释。执行过程中如有意见或建议，请寄送中讯邮电咨询设计院有限公司（地址：北京市海淀区首体南路9号主语商务中心，邮政编码：100048）。

本规范主编单位、参编单位、主要起草人和主要审查人：

主 编 单 位：中讯邮电咨询设计院有限公司

参 编 单 位：中国移动通信集团设计院有限公司

主要起草人：李寿喜　梁　郁　张　贺　沈　晖　郑滟雷
　　　　　　　杨士奇

主要审查人：魏贤虎　胡昌军　张立江　高剑波　金　飚
　　　　　　　沈　梁　曾石麟　董春光　张连平　李　飞
　　　　　　　张小伟　孙龙武

目　　次

1 总　　则 …………………………………………………（ 1 ）
2 缩略语 ……………………………………………………（ 2 ）
3 同步网网络规划 …………………………………………（ 4 ）
　3.1 同步网网络构成及等级 ……………………………（ 4 ）
　3.2 同步网节点时钟的设置 ……………………………（ 5 ）
　3.3 同步定时链路的组织和同步网网络模型 …………（ 6 ）
　3.4 同步网网管系统结构 ………………………………（ 8 ）
4 同步网工程设计 …………………………………………（ 10 ）
　4.1 同步基准传送 ………………………………………（ 10 ）
　4.2 同步节点时钟设备配置要求 ………………………（ 11 ）
　4.3 同步接口要求 ………………………………………（ 12 ）
　4.4 定时基准的局内分配 ………………………………（ 13 ）
　4.5 设备布置及安装 ……………………………………（ 14 ）
　4.6 布线要求 ……………………………………………（ 14 ）
　4.7 电源与接地 …………………………………………（ 14 ）
　4.8 同步网网管的基本功能和通信方式 ………………（ 15 ）
5 同步网工程施工要求 ……………………………………（ 16 ）
　5.1 机房及环境安全 ……………………………………（ 16 ）
　5.2 电缆走线架及槽道 …………………………………（ 16 ）
　5.3 设备安装 ……………………………………………（ 17 ）
　5.4 缆线布放 ……………………………………………（ 17 ）
　5.5 卫星天馈线安装 ……………………………………（ 18 ）
6 同步网工程验收 …………………………………………（ 19 ）
　6.1 工程验收资料和施工质量检验 ……………………（ 19 ）

6.2 系统功能和性能检验 …………………………………… (21)
附录 A 同步节点时钟主要性能指标 ……………………… (25)
附录 B 利用 SDH 传送同步定时信号的规则 …………… (34)
附录 C 同步节点时钟设备监控管理功能的基本要求 …… (36)
附录 D 关于 SSM 功能的测试验收 ……………………… (39)
本规范用词说明 ………………………………………………… (41)
引用标准名录 …………………………………………………… (42)
附:条文说明 …………………………………………………… (43)

Contents

- 1 General provisions (1)
- 2 Abbrevlations (2)
- 3 Synchronization network planning (4)
  - 3.1 Synchronization network architecture (4)
  - 3.2 Synchronization node clock location (5)
  - 3.3 Synchronization network model and timing distribution (6)
  - 3.4 Synchronization network management system architecture (8)
- 4 Synchronization network engineering design (10)
  - 4.1 Synchronous reference transmission (10)
  - 4.2 Configuration requirements for synchronous node clock (11)
  - 4.3 Synchronous interface requirements (12)
  - 4.4 Timing Intra-station distribution (13)
  - 4.5 Equipment layout and installation (14)
  - 4.6 Lining (14)
  - 4.7 Source and earth (14)
  - 4.8 Basic functions and communication modes of synchronous network management (15)
- 5 Construction requirements of synchronous network engineering (16)
  - 5.1 Environment of station (16)
  - 5.2 Cable way (16)
  - 5.3 Equipment fixing (17)
  - 5.4 Fixing line (17)

   5.5 Satellitte antenna and feeder installation ·················· (18)

6 Acceptance of installation ······························· (19)

   6.1 Material of engineering and checking ·················· (19)

   6.2 Checking function and performance ···················· (21)

Appendix A Performance of synchronization
             node clock ································· (25)

Appendix B The guide of SDH timing distribution ······ (34)

Appendix C Requirements for SSU monitoring
             management function ························ (36)

Appendix D Test acceptance for SSM function ············ (39)

Explanation of wording in this code ························ (41)

List of quoted standards ··································· (42)

Addtion: Explanation of provisions ························· (43)

1 总　　则

1.0.1 为规范数字同步网工程建设,保障数字同步网有效支撑通信系统的正常运行,制定本规范。

1.0.2 本规范适用于新建和扩建的数字同步网工程规划、设计、施工、验收。

1.0.3 数字同步网工程规划应与通信网发展相适应,以近期业务需求为主,兼顾业务发展需求,并为工程的扩容、改造创造条件。

1.0.4 数字同步网工程设计应保证同步网的质量,并应保证在突发特殊情况时的网络运行安全,同时应利于施工维护的方便及机房的整齐美观。

1.0.5 数字同步网工程的规划、设计、施工及验收除应符合本规范外,尚应符合国家现行有关标准的规定。

2 缩 略 语

DCN(Data Communication Network) 数据通信网
EEC(Synchronous Ethernet Equipment Clock) 同步以太设备时钟
GPS(Global Positioning System) 全球定位系统
LPR(Local Primary Reference) 区域基准时钟
OTN(Optical Transport Network) 光传送网
PDH(Plesiochronous Digital Hierarchy) 准同步数字体系
PRC(Primary Reference Clock) 全网基准时钟
SDH(Synchronous Digital Hierarchy) 同步数字体系
SEC(SDH Equipment Clock) SDH设备时钟
SLM(Synchronization Local Manager) 同步网本地管理中心
SNM(Synchronization Network Manager) 同步网全网管理中心
SRM(Synchronization Regional Manager) 同步网区域管理中心
SSM(Synchronization Status Message) 同步状态信息
SSU(Synchronous Supply Unit) 同步供给单元
SSU-T(Synchronous Supply Unit-Transit Node) 同步供给单元-二级节点时钟
SSU-L(Synchronous Supply Unit-Local Node) 同步供给单元-三级节点时钟
STM(Synchronous Transport Module) 同步传送模块

SYNC-E(Synchronous Ethernet)　　同步以太网

MADM(Multiple Add-Drop Multiplexer)　　多分插复用器

FE(Fast ethernet)　　快速以太网

GE(Gigabit Ethernet)　　千兆以太网

3 同步网网络规划

3.1 同步网网络构成及等级

3.1.1 数字同步网应采用分布式多基准时钟的组网方式。宜以省、自治区、直辖市划分同步区,每个同步区应设立区域基准时钟。全网范围内应设立若干套全网基准时钟。

3.1.2 在卫星定位系统可用的正常情况下,区域基准时钟的主用基准应来自卫星定位系统,备用基准应来自全网基准时钟;卫星定位系统不可用时,区域基准时钟应同步于全网基准时钟。

3.1.3 数字同步网节点应分为三级,一级节点应采用一级基准时钟,二级节点应采用二级节点时钟,三级节点应采用三级节点时钟。各级同步节点时钟应设置于同步基准分配网络中不同地位的通信楼内(图3.1.3)。

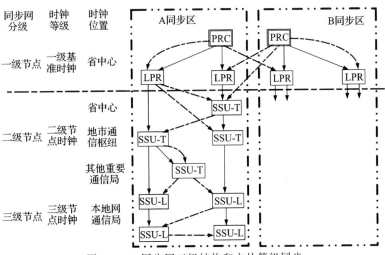

图 3.1.3 同步网三级结构和主从等级同步

3.1.4 同步区内应采用等级主从同步,应从高等级节点时钟向低等级节点时钟或同等级节点时钟传送定时基准信号。不应有高等级时钟从低等级时钟获取定时信号的"时钟倒挂"行为。当需从相同等级的节点取得同步信号时,应在工程设计中保证在任何情况下不会形成定时环路。

3.2 同步网节点时钟的设置

3.2.1 同步网各级节点的功能应包括下列内容:
 1 锁定跟踪同步基准信号;
 2 为下级同步节点以及本节点所在通信楼内通信业务网元提供同步基准分配。

3.2.2 一级基准时钟的设置应符合下列规定:
 1 一级基准时钟宜分为全网基准时钟和区域基准时钟。全网基准时钟应由自主运行的铯原子钟组构成。区域基准时钟应由卫星定位系统(GPS 和或北斗定位系统)和满足二级节点时钟性能的部件组成;它既可接收卫星定位系统的同步,也可同步于全网基准时钟。
 2 全网基准时钟的设置数量及分布宜符合下列规定:
  1)宜满足使省际 SDH 传送层有来自两个不同的全网基准时钟的同步基准源;
  2)宜有利于对全程全网漂动指标的控制;
  3)宜设置在省际传送层枢纽节点所在的通信楼内。
 3 区域基准时钟的设置数量及分布应符合下列规定:
  1)宜满足使省内 SDH 传送层有来自两个不同区域基准时钟的同步基准源;
  2)每个省宜设置两个区域基准时钟,当该省地域上已设有 1 个全网基准时钟时,则该省应设置 1 个区域基准时钟;
  3)设置地点宜选择在省际传送层与省内传送层交汇节点所在的通信楼内。

3.2.3 二级节点时钟的设置数量及分布宜符合下列规定:

1 宜满足使本地SDH传送层有来自两个不同二级节点时钟的同步基准源；

　　2 设置地点宜选择在省内传送层与本地传送层交汇节点所在的通信楼内；

　　3 未设有PRC和LPR的省中心通信楼、地市通信楼以及本地网的重要通信楼宜设置二级节点。

3.2.4 三级节点时钟宜设置在本地网端局以及传送层汇聚节点处所在通信楼。三级节点时钟的设置应根据通信楼内业务节点数量、局房条件、同步端口需要量等因素综合考虑技术经济的实用性和合理性。

3.2.5 各级同步节点时钟的性能指标应符合本规范附录A的有关规定。各级同步节点时钟的SSM功能、选源原则和倒换性能应符合现行行业标准《基于SDH传送网的同步网技术要求》YD/T 1267的有关规定。

3.3　同步定时链路的组织和同步网网络模型

3.3.1 同步节点的输入基准设置应符合下列规定：

　　1 全网基准时钟宜有4路输入基准，应包括2路铯钟信号、2路卫星信号。在条件不具备的情况下可允许有3路输入基准，应包括1路GPS卫星信号、1路北斗卫星信号、1路铯钟信号。

　　2 区域基准时钟应有4路输入基准，应包括2路卫星信号、2路地面信号。该地面信号宜来自省际传送层并溯源至全网基准时钟，其中可有一路来自其他的区域基准时钟。

　　3 二级节点时钟的输入基准应区分下列两种情况设置：

　　1）处于省内和本地传送层交汇点处的二级节点时钟至少应接收2路地面信号。该地面信号宜来自省内传送层并溯源至本省LPR(PRC)，当传送网络条件允许时可再接收来自相邻省的其他LPR基准信号。

　　2）处于其他通信楼内的二级节点时钟至少应接收2路地面

信号。该地面信号宜来自省内或本地传送层并溯源至交汇点处的二级节点时钟或本省LPR。

4 三级节点时钟至少应接收2路地面信号。该地面信号宜来自本地传送层并溯源至二级节点时钟或本省LPR。三级节点时钟的输入信号也可是经本地传送层来的源自于另一个三级节点时钟的基准信号。

3.3.2 承载同步定时链路的传送技术选择应符合下列规定：

1 承载同步定时链路的传送技术可采用SDH传送技术或同步以太传送技术。

2 SDH和同步以太可各自形成相互独立的定时链路，也可SDH与同步以太串联形成一条定时链路。在串联连接点，SDH系统中的SSM信息与同步以太的SSM信息包应完成格式变换和互通。

3.3.3 同步网网络规划及设计的定时链路不应超过极长定时链路。极长定时链路应符合下列规定：

1 极长定时链路应以ITU-T G.823（国际通信协议）的漂动指标分配为原则。

2 定时链路中SSU节点数 K 和SEC（EEC）网元时钟数 N 达到最大限定数为极长定时链路（图3.3.3）。

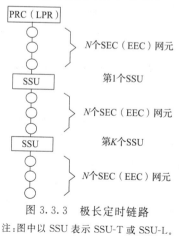

图3.3.3 极长定时链路

注：图中以SSU表示SSU-T或SSU-L。

3 极长定时链路 SSU 节点数 K 的限制,当网络正常情况下,以 LPR 为基准源时,K 应为 5;当以 PRC 为基准源时,K 应为 7。极长定时链路 SEC(EEC)网元数 N 的限制应为 20,从始端到末端全程串入的 SEC(EEC)网元数应最多不超过 60 个。

3.3.4 同步网网络模型及漂动指标分配应按图 3.3.4 执行。

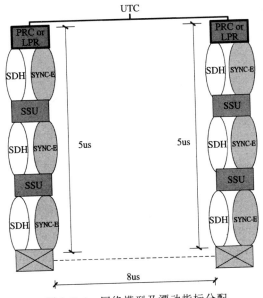

图 3.3.4 网络模型及漂动指标分配

3.4 同步网网管系统结构

3.4.1 同步网网管系统应监控管理独立型的同步节点时钟设备。非独立的同步节点时钟设备,当符合同步网网管系统的基本功能要求、语言格式和通信方式时,可纳入同步网管系统进行管理。

3.4.2 同步网网管系统应按集中监控管理、分级维护的原则设置网管系统。网管系统可根据厂家的网管设备现状及开发能力,按厂家分设,也可设置兼容多厂家同步节点时钟设备的网管系统,并可根据用户的要求,提供北向接口。

3.4.3 同步网网管系统宜依据所管理的网元数量、地域范围、网管能力等因素设置网络结构,可采用全网设置一套全国网管中心(SNM)、一定区域范围(一个或数个省)设置一个区域中心(SRM)、本地网视需要设置本地网管中心(SLM)的二级或三级网络结构,也可采用全网设置一套全国网管中心(SNM)、各省(及本地网)设置反牵终端分权管理本省网元的一级网络结构。采用任何网络结构,应保证网管系统能安全、可靠、无故障地运行,并应保证同步网网管功能的实现。

3.4.4 当采用二级或三级网络结构时,上级网管中心可随时查询下级网管中心管辖同步节点的运行数据,下级网管中心宜根据上级网管中心的要求上报其管辖同步网的运行统计数据。

4 同步网工程设计

4.1 同步基准传送

4.1.1 局间定时基准信号的逐级传送可采用 SDH、同步以太或二者的混合网络作为同步定时链路。

4.1.2 当 SDH 或同步以太形式的定时链路经由 OTN 网络时，宜采用透传方式穿越 OTN。透传方式不应涉及 OTN 设备内部时钟，也不应存在同步接口问题。

4.1.3 在不透传的情况下，可将定时信号经由 OTN 网元时钟逐段转发。OTN 网元时钟宜按 SEC(EEC)时钟同等对待，计入极长定时链路中(图 3.3.3)。

4.1.4 利用 SDH(同步以太)传送同步基准应符合下列规定：

1 应采用物理层线路码流传送同步基准信号。上游始端传送网元设备应经外同步口同步于通信楼内的 SSU，中途的传送网元同步均应采用线路定时方式，下游传送网元设备从物理层线路码流中恢复出同步信号，宜经外同步输出口给该楼内的 SSU 作输入基准信号。

2 用于传送同步基准的传送系统的同步设计，应保证避免在各种故障情况下出现定时环路现象，并应设法减少网络基准参考倒换的影响。在实践中应针对具体工程的实际情况，对各传送网元的同步方式以及同步状态信息 SSM 的响应规则等作出具体的安排。利用 SDH 传送同步定时信号的应用可按本规范附录 B 的有关规定。

3 同厂家的传送设备之间可具有和启用标准之外的附加功能，但附加功能的具备和启用不得与标准功能冲突，不得影响与其他厂家设备的互通。

4 对于由 MADM 等多线路端口设备构成的复杂 SDH 网，应将网络划分成相对简单的同步子网，然后在同步子网内做同步路径安排。

5 当 SDH 定时传送链路的定时使用需求与定时传送需求相互矛盾时，定时使用需求应服从于定时传送需求。

4.1.5 SDH 传送同步信号在各种网络拓扑情况下的规则宜符合本规范附录 B 的有关规定。

4.2 同步节点时钟设备配置要求

4.2.1 全网基准时钟(PRC)的主要功能部分应包括铯原子钟、卫星定位接收系统、比对系统、定时基准分配单元。各部件数量和功能应符合下列规定：

1 铯原子钟 PRC 宜配置 2 个铯钟。铯钟性能应优于一级基准时钟要求。

2 卫星定位接收系统宜采用 GPS 和(或)北斗定位系统。宜配置 2 个卫星接收机。卫星定时信号经定时基准分配单元后的输出接口性能应优于一级基准时钟要求。

3 比对系统应实现对铯钟信号和卫星定时信号的性能监测、比对和控制。

4 定时基准分配单元应完成对优选信号的定时基准分配，并应提供多种类型的定时基准输出信号。

4.2.2 区域基准时钟(LPR)的主要功能部分应包括卫星定位接收系统和二级节点时钟部件。各部件数量和功能应符合下列规定：

1 工程中宜采用 GPS 和(或)北斗卫星定位系统，并应配置 2 个接收机。卫星定时信号经二级节点时钟部件后的输出接口性能应优于一级基准时钟要求。

2 二级节点时钟部件的基本功能应包括跟踪、过滤、保持、分配定时，具体功能要求应符合下列规定：

1）地面输入接口应至少2个,可灵活设置为2048kbit/s或2048kHz。设备应按SSM和优先级进行输入倒换的功能。可根据工程需要增加其他信号种类配置。
2）输出信号接口类型至少可配置为2048kbit/s和2048kHz两种,可根据工程需要增加其他信号种类配置。
3）可根据工程需要将输出端口配置为"1+1"冗余式输出信号和(或)"1+0"非冗余式输出信号。
4）应冗余配置时钟卡。设备时钟应具有自由运行、快捕、锁定、保持等功能。
5）应具有对所有定时输入信号和对一定数量的网络定时信号监测的能力。

4.2.3 二级节点时钟(SSU-T)和三级节点时钟(SSU-L)具备的基本功能及其要求应符合本规范第4.2.2条第2款的规定,SSU可配置卫星定位接收系统。

4.3 同步接口要求

4.3.1 同步节点时钟设备的输入口应采用具有SSM功能的2048kbit/s接口,也可采用2048kHz接口,且同步节点时钟设备应对输入信号进行监测。接口要求应符合表4.3.1的规定。

表4.3.1 同步节点时钟设备输入接口要求

接口要求项 \ 接口类型	2048kbit/s	2048kHz
信号类型	符合:ITU-T G.703、G.704	符合:ITU-T G.703
输入信号的接入方式	终接电平:G.703电平	终接电平:G.703电平
输入口监测项目	LOS,OOF,AIS,CRC,BPV,$MTIE$,$TDEV$,$\Delta f/f$,TIE等	LOS,$MTIE$,$TDEV$,$\Delta f/f$,TIE等

4.3.2 同步节点时钟设备的输出接口2048kbit/s和2048kHz的

接口特性应符合 ITU-T G.703 建议,2048kbit/s 接口的帧结构应满足 ITU-T G.704 建议并应具有 SSM 功能。

4.3.3 同步节点时钟设备可根据工程需要扩展输入和输出端口种类。对于 1MHz、5MHz、10MHz 正弦信号,接口电气幅度应为 1V,阻抗应为 50Ω 或 75Ω。

4.3.4 SEC(EEC)网元的外同步输入(输出)口应优先选用具有 SSM 功能的 2048kbit/s 接口,若不具备条件,也可采用 2048kHz 接口。其接口应符合 ITU-T G.703、G.704、G.823 建议。

4.3.5 SEC(EEC)网元间用于传同步定时的业务接口的接口同步性能应符合下列规定:

    1 STM-N 接口和 SSM 功能应符合 ITU G.781、G.783 和 G.825 建议;

    2 GE、FE 等接口和 SSM 功能应符合 ITU G.8261、G.8264 建议。

4.3.6 同步网的终端用户可从外同步输入口获取同步定时,也可从 STM-N、GE、FE 等业务接口获取同步定时。相应接口应符合下列规定:

    1 外同步输入口应优先选用具有 SSM 功能的 2048kbit/s 接口,当不具备条件时也可采用 2048kHz 接口。其接口应符合 ITU-T G.703、G.704、G.823 建议。

    2 STM-N 接口和 SSM 功能应符合 ITU G.781、G.783 和 G.825 建议,GE、FE 等接口和 SSM 功能应符合 ITU G.8261、G.8264 建议。

4.4 定时基准的局内分配

4.4.1 同步节点时钟应作为定时源向楼内各种通信网元设备分配定时基准。局内定时基准分配宜采用并行分配方式,不宜用通信设备进行局内二次分配。

4.4.2 当被同步设备有外同步口时,宜用外同步口接收定时信号；当无外同步口时，可利用线路口或业务口接收定时。

4.4.3 被同步设备需要从同步节点时钟设备输出端上引接定时信号时，被同步设备有2个外同步口的，应分别接收来自同步节点时钟设备两个不同输出卡板的信号；被同步设备只有一个外同步口的，应从同步节点时钟设备的1＋1输出卡板上取得定时信号。

4.5 设备布置及安装

4.5.1 同步节点时钟设备宜安装在数字传输机房中，环境要求及安装加固方式应与机房中其他设备相同。

4.5.2 同步节点时钟设备所在机房应配置同步专用的DDF，用于连接同步节点时钟设备的输入、输出及监测信号线。该DDF宜与机房中其他DDF放在一列，且宜靠近同步节点时钟设备。

4.5.3 卫星定位系统天线宜安装于通信楼顶平台上，天线视角、抗干扰特性等安装条件应符合设备的技术要求。卫星天线与其他天线之间的距离宜大于3m。

4.5.4 设备机架或机柜的抗震加固要求应符合现行行业标准《电信设备安装抗震设计规范》YD 5059的有关规定。

4.6 布线要求

4.6.1 同步网工程各类同步信号线缆的布放设计宜以同步专用DDF为界。

4.6.2 从楼顶至设备机房的卫星系统天馈线在楼内部分电缆竖井或槽道布放，不得与电力电缆及空调线等混放。卫星系统天馈线暴露在楼顶部分应加PVC管保护。

4.7 电源与接地

4.7.1 同步节点时钟设备应采用直流－48V基础电源，电压范围和允许的脉冲电压值应符合现行行业标准《通信局(站)电源系统总技术要求》YD/T 1051的有关规定。

4.7.2 网管系统的设备宜采用交流 220V 供电。

4.7.3 同步节点时钟设备和卫星接收机天馈线的防雷与接地应符合现行国家标准《通信局（站）防雷及接地工程设计规范》GB 50689 的有关规定。

4.8 同步网网管的基本功能和通信方式

4.8.1 同步节点时钟设备的监控管理功能应符合本规范附录C的有关规定。

4.8.2 同步网网管系统的主要功能应符合下列规定：

1 故障管理应能接收来自同步节点设备的实时告警及事件，以可闻、可视方式显示，并应存储。网管中心还应支持随机查询设备的告警信息。

2 性能管理应能自动进行定时轮询和随机查询收集各同步节点设备的性能监测数据，并应能进行存储、计算，以曲线和表格形式显示。

3 配置管理可以软件指令控制同步设备进行输入基准的倒换、闭塞，应可修改输入基准的优先级及告警、性能门限。

4 安全管理系统应有三级密码，不同级别应对设备进行调看、设置和修改赋予不同的权限。

5 数据统计分析功能应对收集到的告警及性能进行统计分析及数据后期处理，作出统计报表。

4.8.3 各级同步网管中心，以及同步节点设备均应接入专用数据通信网，采用传输控制协议/因特网互联协议（TCP/IP）实现数据通信。

5 同步网工程施工要求

5.1 机房及环境安全

5.1.1 机房建筑及装修应按设计要求施工,屋顶不得漏水,室内不得渗水,墙体、地面应平整密实,地面水平误差应小于2mm。

5.1.2 地槽、预留孔洞、预埋钢管、螺栓等位置、规格应符合工程设计和设备安装要求,地槽盖板应严密、坚固,地槽内不得有渗水现象。

5.1.3 机房走线宜采用上走线方式,布放的电缆不得影响进、出风孔洞正常换气。

5.1.4 机房室内装修材料应符合现行行业标准《通信建筑工程设计规范》YD 5003的有关规定。

5.1.5 机房照明、插座的数量、位置及容量应符合通信机房通用要求,安装整齐、端正、牢固可靠,并应满足使用要求。

5.1.6 抗震措施应符合现行行业标准《电信设备安装抗震设计要求》YD 5059的有关规定。

5.1.7 通信设施的防洪要求应符合现行国家标准《防洪标准》GB 50201的有关规定。

5.2 电缆走线架及槽道

5.2.1 电缆走线架及槽道的位置、高度应符合工程设计要求。

5.2.2 电缆走线架的安装应符合下列规定:

1 电缆走线架应平直,应无明显起伏、扭曲和歪斜。

2 电缆走线架与墙壁或机列应保持平行,每米水平误差不应大于2mm。

3 吊挂安装应符合工程设计要求,并应垂直、整齐、牢固。

4 地面支柱安装应垂直稳固,垂直偏差不应大于1.5‰;同一方向立柱应在同一条直线上。

5 电缆走线架的侧旁支撑、终端加固角钢的安装应牢固、端正、平直。

5.2.3 沿墙水平电缆走线架应与地面平行,沿墙垂直电缆走线架应与地面垂直。

5.2.4 槽道安装应平直、端正、牢固。列槽道应成一直线,两槽并接处水平偏差不应大于2mm。

5.2.5 支撑加固用的膨胀螺栓余留长度应一致,螺帽紧固后余留宜为5mm。

5.2.6 电缆走线架应可靠接地。

5.3 设备安装

5.3.1 设备安装位置应符合工程设计平面图要求。

5.3.2 设备机架应垂直安装,垂直偏差不应大于1.0‰。

5.3.3 同列机架的设备面板应处于同一平面上,相邻机架的缝隙不应大于3mm,并应保持机柜门开合顺畅。

5.3.4 机架的防震加固应符合现行行业标准《电信设备安装抗震设计规范》YD 5059的有关规定。

5.3.5 设备的防静电措施应符合设备及工程设计要求。

5.4 缆线布放

5.4.1 交、直流电源的电力电缆应分开布放;电力电缆与信号线缆应分开布放,间距不宜小于150mm。

5.4.2 线缆在电缆走道上布放时,应绑扎,绑扎后的电缆应相互紧密靠拢,并应外观平直整齐、线扣间距均匀、线扣松紧适度,每一根横铁上均应绑扎固定。

5.4.3 电缆槽内布放电缆时,槽内电缆应顺直,无明显交叉和扭曲现象,在进、出槽道和转弯处应绑扎固定。

5.4.4 电源线的布放应符合下列规定：

　　1 各类电源电缆的规格、型号应符合工程设计要求。

　　2 采用的电力电缆应是整条电缆料，中间不得有接头，且电缆外皮应完整。

　　3 电力电缆拐弯应圆滑均匀，铠装电缆的弯曲半径应大于或等于直径的12倍，塑包电缆及其他软电缆的弯曲半径应大于电缆直径的6倍。

　　4 设备电源引入线可利用自带的电源线；当设备电源线引入孔在机顶时，可沿机架顶上顺直成把布放。

5.4.5 信号线及控制线的布放要求应符合下列规定：

　　1 线缆规格型号、数量应符合工程设计要求；

　　2 布放线缆应有序、顺直、整齐，避免交叉纠缠；

　　3 线缆弯曲应均匀、圆滑一致，弯曲半径应大于60mm；

　　4 线缆两端应有明确标志。

5.4.6 接地线敷设应符合下列规定：

　　1 接地引接线截面积应符合工程设计要求，宜使用多股铜芯电缆或铜条。

　　2 机房内应采用联合接地系统。

　　3 接地线布放应短、直，多余导线应截断，所有连接应使用铜鼻或连接器连接，铜鼻应可靠压接或焊接。

5.5 卫星天馈线安装

5.5.1 天线、馈线安装及加固应稳定、牢固、可靠，并应符合工程设计要求，天线宜采用抱杆安装方式。

5.5.2 天线对天空的开阔视角应符合工程设计要求。天线与其他系统天线间隔宜大于3m。

5.5.3 天线应接地良好，并应处在避雷针下45°角的保护范围内。

5.5.4 馈线的规格、型号、路由、接地方式应符合工程设计要求。

6 同步网工程验收

6.1 工程验收资料和施工质量检验

6.1.1 同步网工程验收前,施工单位应提交包含以下内容的竣工验收资料:

1 工程说明;
2 开工报告及交(完)工报告;
3 工程变更单;
4 建筑安装工程量总表;
5 已安装设备明细表;
6 随工检查记录和阶段验收报告;
7 现场安装调测记录;
8 验收测试记录;
9 竣工图纸和竣工报告;
10 其他需要补充的竣工资料和报告。

6.1.2 施工质量验收项目、内容和标准应符合表 6.1.2 的规定。

表 6.1.2 工程施工质量验收标准

检验项目	检验内容	质量判定标准
安装电缆走线架	连固铁、列走线架	(1)位置、高度应符合施工图设计要求 (2)接续牢固、平直、无明显弯曲
安装机列架	机列架位置和安装	(1)位置应符合施工图设计 (2)对地加固用 4 套螺栓,机架顶端用夹板(或 L 型钢)与列走道梁加固
电缆布放及电缆端头的处理	电缆规格程式	符合施工图设计
	头柜至设备间电源线的标志	以不同的颜色分别表示正负极和保护地

续表 6.1.2

检验项目	检验内容	质量判定标准
电缆布放及电缆端头的处理	电缆布放	(1)布放顺直、无明显扭绞和交叉,不得溢出槽道 (2)在DDF架内电缆布放顺直,出现位置准确、预留弧长一致,并做适当的绑扎
	电缆端头的处理	(1)电缆的剖头长度应一致,剖头尺寸芯线露出部分应与芯线焊接部分或绕接部分相适应 (2)芯线焊接时,应焊接端正牢固、配件齐全,芯线绕接时,绕接应紧密,一个端子要绕接两根芯线时,应一根一根绕,不能两根同时绕,也不能叠绕
安装卫星天线	天线位置	符合施工图设计要求
	天线安装牢固性	(1)所用材料及安装方式符合施工图设计 (2)螺丝、卡子均应拧紧、牢固,确保风吹雨打不松动
	天线支撑架接地	按施工图设计要求,天线支撑架连接地线应就近焊接于楼顶避雷带
卫星馈线布放	布放	(1)按本表"电缆布放及电缆端头的处理"同等对待 (2)馈线应施工图设计而穿越相应的孔、洞、沟、槽,拐弯处的曲率半径符合设计要求 (3)不能随意截短馈线
卫星接收机防雷器	安装、接地、防水	(1)应按施工图设计要求焊接接地,不得压接或拧接接地 (2)卫星馈线进楼之前,在尽量接近进楼点处安装防雷器,防雷器应接地可靠 (3)防雷器和馈线接头应经良好的防水处理

续表6.1.2

检验项目	检验内容	质量判定标准
安装监控设备	设备安装	(1)设备安装位置符合设计要求 (2)计算机主机和配套设备的接线正确、顺畅 (3)电源线、工作地、保护地连接可靠无错漏
	监控通信口	(1)数据通信端口按施工图设计连接 (2)通信口通畅

6.2 系统功能和性能检验

6.2.1 卫星天线环境检验项目、内容和标准应符合表6.2.1的规定。

表6.2.1 卫星天线环境检验项目和内容

序号	项目	内容	结果
1	检查卫星天线环境	(1)周围阻挡情况 (2)与其他天线的距离	(1)符合设计要求 (2)卫星天线与其他天线的距离大于3m
2	调看卫星接收机数据	(1)收到的卫星数 (2)锁定的卫星数 (3)信噪比 (4)接收机状态	(1)稳定收到的卫星数≥设备要求数 (2)稳定锁定的卫星数≥设备要求数 (3)信噪比:在正常范围 (4)接收机状态:正常

6.2.2 同步时钟设备性能测试项目应至少包括单机设备的跟踪性能、相位瞬变、保持性能。测试结果应符合本规范附录A的规定。功能检验的主要项目和内容应符合表6.2.2的规定。

表 6.2.2 功能检验的主要项目和内容

序号	项 目	内 容	结 果
1	设备工作状态检查	(1)卫星接收机工作情况 (2)输入卡、时钟卡、输出卡等卡板工作情况	所有部件工作状态指示都应为正常,卫星接收机、时钟卡应处于跟踪状态
2	倒换功能检查	(1)输入参考信号倒换 (2)设备冗余卡板倒换	(1)应可从主用信号倒至备用,也可倒回,且不影响设备工作 (2)应可从主用卡板倒至备用,也可倒回,且不影响设备工作
3	告警功能检验	分别产生次要告警、主要告警和严重告警,然后清除这些告警	设备面板、机架及列柜上应有正确的告警指示及音响信号,且通信口上应送出相应告警信息
4	监测功能检验	调看某路信号的被监测数据	应能获得 $MTIE$,$TDEV$,TIE,LOS,OOF,BPV 等数据
5	同步状态信息	设备对 SSM 的处理过程	设备应能正确响应、判断、处理和转发 SSM 信息,详见本规范附录 D
6	通信功能检验	所有通信口的工作情况	(1)应能接收人机命令,并能送出正确的响应信息 (2)应能正确送出设备的告警事件信息
7	同步与否检验	收集设备对主用信号的相位测试值(时长大于 3000s)或用双通道示波器分别接主用 2048kbit/s 输入信号和一路 2048kbit/s 输出信号,观察两信号相对位置 60min	由收集到的数据得出的 $\Delta f/f$ 应优于 1×10^{-11},从示波器上读出的两信号的平均相位差应小于 30ns

续表 6.2.2

序号	项 目	内 容	结 果
8	地面定时输入信号检查	2048kbit/s 和 2048 kHz 定时链路的波形、电平、24h 误码测试及 $\Delta f/f$ 值	(1)2048kbit/s 符合 G.703 第 9 节和 G.704 帧结构 (2)2048kHz,符合 G.703 第 13 节 (3)输入电平(以 G.703 标称电平为基准)终接 0 到 -6dB (4)符合传输的 BER 指标 (5)$\Delta f/f$ (或 FFREQ) 应优于 1×10^{-11}(时长大于 3000s)
9	输出信号检查	2048kbit/s,2048kHz 定时输出信号的波形及电平	(1)2048kbit/s,符合 G.703 第 9 节和 G.704 帧结构 (2)2048kHz,符合 G.703 第 13 节

6.2.3 网管系统设备功能检验的项目、内容和标准应符合表 6.2.3 的规定。

表 6.2.3 网管系统设备功能检验的主要项目和内容

序号	项 目	内 容	结 果
1	告警功能检验	(1)实时接收时钟设备送出的各种告警、事件及清除信息 (2)根据转发条件向上一级中心转发	(1)以声光提示有告警送上,告警列表显示详细内容,清除后,声光消失 (2)有向上一级转发的告警文件
2	配置功能检验	(1)显示时钟设备当前配置,运作参数 (2)修改时钟设备的配置,运行参数	能正确显示并修改设备的配置和运行参数

续表 6.2.3

序号	项 目	内 容	结 果
3	性能数据检验	(1)定时或随机调取性能数据 (2)根据转发条件向上一级中心转发	(1)以表格和曲线形式正确显示性能数据 (2)能向上一级转发性能数据文件
4	终端仿真检验	以仿真终端形式直接访问时钟设备	能向时钟设备发指令,并接收相应响应
5	统计功能检验	根据库中信息作出各种报表	能正确作出各种告警、传输故障率、性能超门限率和通信链路畅通率等统计的日报表、月报表
6	系统维护功能检验	监控系统本身运行参数的建立和修改	可正确执行操作
7	安全性检验	(1)用户权限设置 (2)记录关键性操作 (3)程序运行密码保护	(1)不同级别的用户应做不同级的操作 (2)关键性操作记录在案 (3)不能随意退出程序

附录 A 同步节点时钟主要性能指标

A.0.1 一级基准时钟的性能应符合下列规定：

1 以一天时长的时间间隔误差(TIE)数据计算,得到的频率准确度不应超过 1×10^{-11}；以七天时长的时间间隔误差(TIE)数据计算,得到的频率准确度不应超过 3×10^{-12}。

2 漂动产生应符合表 A.0.1-1、表 A.0.1-2 的规定(图 A.0.1-1、图 A.0.1-2)。

表 A.0.1-1 漂动产生(MTIE)

MTIE(μs)	观察时长(s)
$0.275\times10^{-3}\tau+0.025$	$0.1<\tau\leqslant1000$
$10^{-5}\tau+0.29$	$\tau>1000$

表 A.0.1-2 漂动产生(TDEV)

TDEV(ns)	观察时长(s)
3	$0.1<\tau\leqslant100$
0.03τ	$100<\tau\leqslant1000$
30	$1000<\tau\leqslant10000$

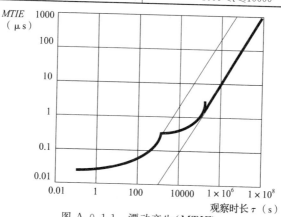

图 A.0.1-1 漂动产生(MTIE)

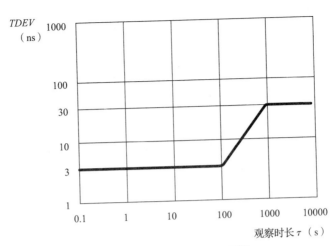

图 A.0.1-2 漂动产生(TDEV)

3 抖动产生不应大于 0.05UI。

4 由不经常性的系统内部测试或重组所引起的相位变化不应超过 0.125UI。

A.0.2 二级节点时钟(SSU-T)和三级节点时钟(SSU-L)的性能应符合下列规定：

1 漂动产生应符合表 A.0.2-1、表 A.0.2-2 的规定(图 A.0.2-1、图 A.0.2-2)。

表 A.0.2-1 漂动产生(MTIE)

MTIE(ns)	观察时长(s)
24	$0.1 < \tau \leqslant 9$
$8 \times \tau^{0.5}$	$9 < \tau \leqslant 400$
160	$400 < \tau \leqslant 10000$

表 A.0.2-2 漂动产生(TDEV)

TDEV(ns)	观察时长(s)
3	$0.1 < \tau \leqslant 25$
0.12τ	$25 < \tau \leqslant 100$
12	$100 < \tau \leqslant 10000$

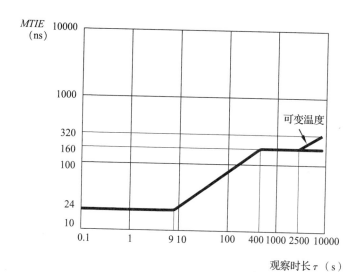

图 A.0.2-1　漂动产生（MTIE）

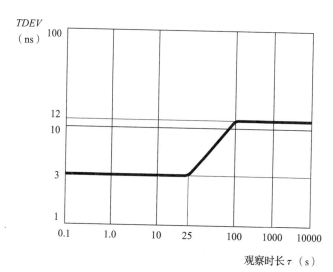

图 A.0.2-2　漂动产生（TDEV）

2 漂动容限应符合表 A.0.2-3、表 A.0.2-4 的规定（图 A.0.2-3、A.0.2-4）。

表 A.0.2-3 漂动容限（**MTIE**）

MTIE(μs)	观察时长（s）
0.75	$0.1 < \tau \leqslant 7.5$
0.1τ	$7.5 < \tau \leqslant 20$
2	$20 < \tau \leqslant 400$
0.005τ	$400 < \tau \leqslant 1000$
5	$1000 < \tau \leqslant 10000$

表 A.0.2-4 漂动容限（**TDEV**）

TDEV(ns)	观察时长（s）
34	$0.1 < \tau \leqslant 20$
1.7τ	$20 < \tau \leqslant 100$
170	$100 < \tau \leqslant 1000$
$5.4 \times \tau^{0.5}$	$1000 < \tau \leqslant 10000$

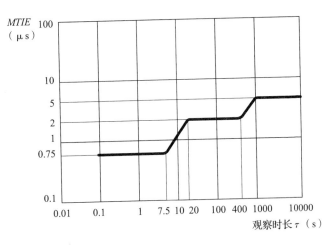

图 A.0.2-3 漂动容限（MTIE）

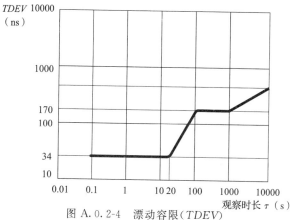

图 A.0.2-4 漂动容限（TDEV）

3 噪声传递应符合下列规定：

当输入信号如图 A.0.2-4 所示时，输出信号性能应符合表 A.0.2-5 的规定（图 A.0.2-5）。

表 A.0.2-5 噪声传递

TDEV(ns)	观察时长(s)
3	$0.1 < \tau \leq 13.1$
$0.0176 \times \tau^2$	$13.1 < \tau \leq 100$
176	$100 < \tau \leq 1000$
$5.58 \times \tau^{0.5}$	$1000 < \tau \leq 10000$

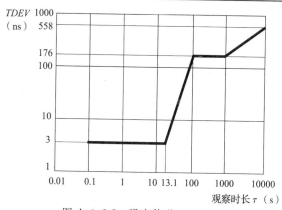

图 A.0.2-5 噪声传递（TDEV）

4 抖动容限应符合表 A.0.2-6 的规定。

表 A.0.2-6 抖动容限

抖动幅度(峰-峰值)(ns)	频率 f(Hz)
750	$1 < f \leqslant 2400$
$1.8 \times 10^6 f^{-1}$	$2400 < f \leqslant 18000$
100	$18000 < f < 100000$

5 抖动产生应符合下列规定：

1) 2048kHz 和 2048kb/s 输出口的抖动不应大于 0.05UI；
2) SDH 输出口和以太网输出口的抖动不应大于 0.5UI。其中，SDH 速率应包括 STM-1、STM-4、STM-16，同步以太速率应包括 1GE、10GE。

6 相位瞬变性能应符合表 A.0.2-7 的规定（图 A.0.2-6）。

表 A.0.2-7 相位瞬变性能

$MTIE$(ns)	观察时长(s)
25	$0.001 < \tau \leqslant 0.0033$
7500τ	$0.0033 < \tau \leqslant 0.016$
$120 + 0.5\tau$	$0.016 < \tau \leqslant 240$
240	$240 < \tau \leqslant 10000$

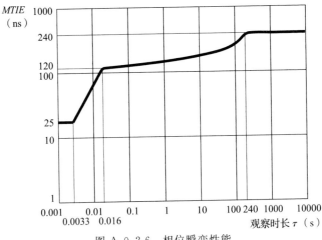

图 A.0.2-6 相位瞬变性能

7 相位不连续性应符合表 A.0.2-8 的规定(图 A.0.2-7)。

表 A.0.2-8 相位不连续性

$MTIE$(ns)	观察时长(s)
60	$\tau \leqslant 0.001$
120	$0.001 < \tau \leqslant 4$
240	$\tau > 4$

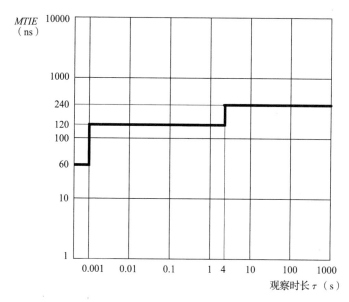

图 A.0.2-7 相位不连续性($MTIE$)

8 时钟的频率准确度和牵引入(保持入)范围应符合表 A.0.2-9 的规定。

表 A.0.2-9 时钟的频率准确度和牵引入(保持入)范围

项 目	二级节点时钟(SSU-T)	三级时钟(SSU-L)
频率准确度	$\pm 1.6 \times 10^{-8}$	$\pm 4.6 \times 10^{-6}$
牵引入(保持入)范围	$\pm 1.6 \times 10^{-8}$	$\pm 4.6 \times 10^{-6}$

9 SSU-T 保持性能应符合表 A.0.2-10 的规定。

表 A.0.2-10 SSU-T 保持性能

频率偏移(ns/s)	时间 $S(s)$
—	$0<S\leqslant5000$
0.1	$5000<S\leqslant86400$
$1.16\times10^{-6}S$	$86400<S\leqslant1.38\times10^7$
16	$1.38\times10^7<S\leqslant3.2\times10^7$

10 SSU-L 保持性能在观察期 S(秒)内的相位偏差 $\Delta X(S)$ 应按下列公式计算,公式中的 5 个参数应符合表 A.0.2-11 的规定。

$$|\Delta X(S)|\leqslant(a_1+a_2)S+0.5bS^2+c(\text{ns}) \quad (\text{A.0.2-1})$$
$$|\text{d}^2[\Delta X(S)]/\text{d}S^2|\leqslant d(\text{ns}/\text{s}^2) \quad (\text{A.0.2-2})$$

表 A.0.2-11 SSU-L 保持性能

$a_1(\text{ns/s})$	1.0
$a_2(\text{ns/s})$	10
$b(\text{ns}/\text{s}^2)$	1.16×10^{-5}
$c(\text{ns})$	150
$d(\text{ns}/\text{s}^2)$	1.16×10^{-5}

11 保持转跟踪性能应符合表 A.0.2-12 的规定(图 A.0.2-8)。

表 A.0.2-12 保持转跟踪性能

指标参数	指标含义和计算方法	指标限值	
		参考相对于设备无频偏	参考相对于设备有频偏且频偏在有效范围内
t_x	判定参考有效所需的时间,单位为秒 $t_x=t_2-t_1$	$10\text{s}\leqslant t_x\leqslant30\text{s}$	对于 SSU-T,$t_x\leqslant600\text{s}$ 对于 SSU-L,$t_x\leqslant100\text{s}$
t_y	时钟锁定参考所需的时间,单位为秒 $t_y=t_3-t_2$	对于 SSU-T,$t_y\leqslant1000\text{s}$ 对于 SSU-L,$t_y\leqslant700\text{s}$	
t_z	恢复跟踪过程的最大漂动,单位为纳秒	$t_z\leqslant1000\text{ns}$	

注:t_1 为参考信号良好可用的时刻,t_2 为设备判定参考信号有效的时刻,t_3 为设备实现了同步的时刻。

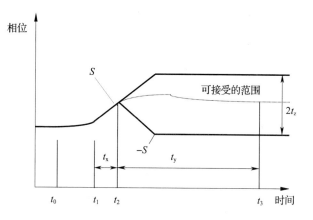

图 A.0.2-8 保持转跟踪性能

注：t_0 为设备早先进入保持的时刻；S 为 t_2 时刻前相位时间曲线的斜率，即频率偏移。

附录 B 利用 SDH 传送同步定时信号的规则

B.0.1 SDH 网的拓扑可归纳为单环、多环相接、多环嵌套等结构。每种结构都可用于传递定时。

B.0.2 单环 SDH 系统的定时安排宜按下列方式安排：

1 上游同步节点时钟的定时信号宜从"环上两点"注入 SDH 系统并经 SDH 环网传递到每个 SDH 网元，下游的同步节点时钟宜从该 SDH 环上相应网元处获得定时信号。

2 注入"环上两点"的定时信号对该 SDH 环可采用主备用方式，也可采用主备用方式（图 B.0.2-1）或分区主用（图 B.0.2-2）。

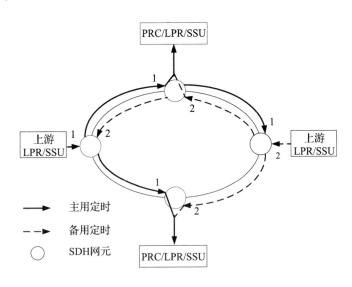

图 B.0.2-1 单环 SDH 系统传送同步方式一
（同步接入源主、备方式）

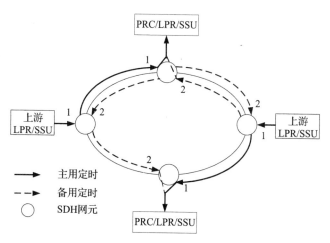

图 B.0.2-2 单环 SDH 系统传送同步方式二
（同步接入源分区主用方式）

B.0.3 对于双环嵌套的 SDH 系统，每个 SDH 环的定时连接安排可按照单环 SDH 的方式进行。宜安排嵌套中的两个环在环路中的定时传递方向相反。

B.0.4 链型 SDH 系统的定时安排应至少选择链上两点同步节点时钟给 SDH 系统接入定时，其他同步节点时钟应从链上获取定时。

B.0.5 下游 SDH 网元送出定时信号给同步节点时钟，其定时信号应从 STM-N 导出，当无法直接导出时，可经由 SDH 网元 SEC 后送出。

附录 C 同步节点时钟设备监控管理功能的基本要求

C.0.1 同步节点时钟设备应能提供下列告警、状态显示和监控功能：

1 定时信号状态及性能监测应包含下列信息：

1) 信号丢失（LOS）；
2) 帧失步（OOF）；
3) 传输系统告警指示信号（AIS）；
4) 循环冗余检查（CRC）；
5) 双极性破坏（BPV）；
6) 频率偏移（$\Delta f/f$），要标明是多长时间的平均频率偏移；
7) 最大时间间隔误差（$MITE$），至少从 1s 到 1000s 左右、具有 7 个左右数据点的 $MITE$；
8) 时间偏差（$TDEV$），至少从 1s 到 100s 左右、具有 5 个左右数据点的 $TDEV$；
9) 原始相位数据（Raw phase），或以秒取样点为一数据点，或把取样点以每分钟平均出一数据点，同步设备应能暂存一天以上连续量的数据点集。

2 同步供给设备工作状态应包含下列信息：

1) 同步时钟单元的工作模式；
2) 输入基准信号的优先级别和工作状态；
3) 输入卡工作状态；
4) 卫星接收系统本身应能提供自身运行状态信息。

3 告警应包含下列信息：

1）次要告警应包括丢失部分输入基准信号、输入基准信号的频偏超过门限、输入基准信号的传输状态超过监测门限。

2）主要告警应包括丢失所有输入基准信号、除输入基准信号外其他被监测信号的 $MITE$ 和 $TDEV$ 超过门限、冗余的输入卡中的一个发生故障、冗余的输出卡中的一个发生故障。

3）严重告警应包括输入卡均出现故障、时钟卡中的一个发生故障、同步供给设备两路电源中的一路出故障。

4 监控功能应能支持监控管理中心以软件指令控制同步供给设备。控制项目至少应包括下列条目：

1）修改输入基准信号的优先级；

2）倒换输入基准信号；

3）闭塞或打开输入基准信号；

4）修改某些监测项目的门限和告警级别；

5）设置和修改密码口令。

C.0.2 同步设备产生的信息中，告警信息和告警解除信息应由同步设备实时自动上报 SRM；其他信息可暂存在同步设备内，供 SRM 定时轮询或是自动上报。应以不丢失数据为原则来确定每天轮询或上报的次数。

C.0.3 同步节点时钟设备的通信功能及安全措施应符合下列规定：

1 同步设备与网管系统之间的通信语言宜采用北美标准的 TL1 语言或 ITU-T MML 语言。厂家应提供同步设备的所有语句和响应信息，并应逐条详细解释参数、信息顺序、格式和功能。

2 同步设备应具有与同步网管系统相适应的通信接口和功能，同步设备应提供以太网 LAN 通信接口，采用 TL1（TELNET/

TCP/IP)协议,并应能至少提供供网管系统接入的2个TELNET连接。还应具有RS232串口用作本地维护接口。

3 同步设备应能区分口令级别,并应执行相应口令内允许的功能。

附录 D 关于 SSM 功能的测试验收

D.0.1 同步设备应具有 SSM 功能。工程验收时,根据厂家设备特点,宜按照下列的 SSM 功能要求进行验收。

1 应根据 G.704 规定,利用 2048kbit/s 复帧中 TS0 时隙作为传递 SSM 信息的通道,并应选用复帧的奇数帧 TS0 时隙中的 Sa4~Sa8 比特位之一、连续 4 个奇数帧形成 4bit 表示 SSM 质量等级,且前 4 个奇数帧与后 4 个奇数帧所携带的 SSM 信息应相同。

2 应允许用户对每路输入信号的 SSM 信息进行单独设置,并应具备下列功能:

1) 可选择接收 SSM 信息的状态为打开或闭塞;
2) 可选择 2048kbit/s 信号接收 SSM 信息的比特位为 TS0 时隙的 Sa4~Sa8 比特位之一;
3) 当输入信号中不携带 SSM 信息时,可根据输入信号的性能人工预置 SSM 值;
4) 应设定 SSM 的门限值为 SSU 内部时钟级别。

3 同步设备对 SSM 信息的响应和处理时长应符合下列规定:

1) 当发现输入信号的 SSM 值超门限或指示"信号不可用"时,SSU 应倒换跟踪其他有效的输入信号,不存在有效输入信号则应转入保持状态。
2) 在有效的输入信号中应选择 SSM 值最优,且优先级高的信号作为主用输入信号。
3) 当 SSM 值由高变低而引起 SSU 倒换输入信号或进入保持状态时,这个结果应在 1s 内发生;当 SSM 值由低变高而引起 SSU 倒换输入信号或退出保持状态时,这个结果应在 15s 后发生。

4) 由于输入信号 SSM 值的变化造成输出信号 SSM 值变化的响应时延,这个结果应大于 15s。

4 同步设备输出的 SSM 信息应符合下列规定:

1) 当跟踪输入信号时,应将输入信号的 SSM 值传送给输出信号;
2) 当保持状态时,应按本身时钟等级送出 SSM 信息;
3) 输出信号的 SSM 比特位应在可选 TS0 时隙的 Sa4～Sa8 比特位之一。

本规范用词说明

1 为便于在执行本规范条文时区别对待,对要求严格程度不同的用词说明如下:

  1)表示很严格,非这样做不可的:

   正面词采用"必须",反面词采用"严禁";

  2)表示严格,在正常情况下均应这样做的:

   正面词采用"应",反面词采用"不应"或"不得";

  3)表示允许稍有选择,在条件许可时首先应这样做的:

   正面词采用"宜",反面词采用"不宜";

  4)表示有选择,在一定条件下可以这样做的,采用"可"。

2 条文中指明应按其他有关标准执行的写法为:"应符合……的规定"或"应按……执行"。

引用标准名录

《防洪标准》GB 50201
《通信局(站)防雷及接地工程设计规范》GB 50689
《通信局(站)电源系统总技术要求》YD/T 1051
《基于SDH传送网的同步网技术要求》YD/T 1267
《通信建筑工程设计规范》YD/T 5003
《电信设备安装抗震设计规范》YD 5059

中华人民共和国国家标准

数字同步网工程技术规范

GB/T 51117-2015

条 文 说 明

制 订 说 明

《数字同步网工程技术规范》GB/T 51117—2015,经住房和城乡建设部2015年8月27日以第892号公告批准发布。

本规范制订过程中,编制组对国内外同步技术及同步网络的现状和发展趋势进行了深入的调查研究,总结了我国同步网工程设备安装工程建设的实践经验,同时参考了国外相关先进技术法规、技术标准。

为便于广大设计、施工、科研、学校等单位有关人员在使用本规范时能正确理解和执行条文规定,《数字同步网工程技术规范》编制组按章、节、条顺序编制了本规范的条文说明,对条文规定的目的、依据以及执行中需注意的有关事项进行了说明和解释。但是,本条文说明不具备与规范正文同等的法律效力,仅供使用者作为理解和把握规范规定的参考。

目　次

3 同步网网络规划 …………………………………………（49）
　3.1 同步网网络构成及等级 …………………………………（49）
　3.3 同步定时链路的组织和同步网网络模型 ………………（49）
4 同步网工程设计 …………………………………………（51）
　4.1 同步基准传送 ……………………………………………（51）
　4.2 同步节点时钟设备配置要求 ……………………………（52）
　4.3 同步接口要求 ……………………………………………（53）
　4.5 设备布置及安装 …………………………………………（53）
　4.6 布线要求 …………………………………………………（53）
附录 A 同步节点时钟主要性能指标 ……………………（54）

3 同步网网络规划

3.1 同步网网络构成及等级

3.1.1 本条说明如下：

(1)我国地域辽阔,为保证数字同步网的质量和可靠性,采用分布式多基准时钟的建网方式,即在各省、自治区、直辖市建立区域基准时钟(LPR),鉴于GPS等卫星定位系统信号精度高,使用方便,投资相对经济等原因,LPR由卫星定位系统和二级节点时钟组成,但由于卫星系统在可靠性及稳定性方面不甚理想,因此要在少数地方建立以铯钟为基础的全网基准时钟(PRC),作为全网的质量保证源。

(2)数字同步网采用分布式多基准时钟情况下的同步区的划分,本条推荐以省、自治区、直辖市划分同步区,这种划分方式比较适合于公众电信网和大多数专用网。对于少量专用网,可以根据专用网自身特点按其他方式划分同步区,如铁路专用网可以根据铁路系统的特点按路局方式划分同步区。

3.3 同步定时链路的组织和同步网网络模型

3.3.1 对于公众电信网,全网基准时钟PRC应配置4路输入基准,包括2路铯钟信号、2路卫星信号。对于少量专用网,在条件不具备的情况下可允许PRC仅3路输入基准,应包括1路GPS卫星信号、1路北斗卫星信号、1路铯钟信号。

3.3.2 本条说明如下：

(1)关于数字同步网与高精度时间同步网的关系：

数字同步网与高精度时间同步网在定时链路组织、选源机制等方面逻辑上是相互独立的两个网。高精度时间同步网在某些场合也需要频率同步,如以同步以太为基础实现PTP(精确时间协议)方式的时间传递,此种情形下,数字同步网应根据需要向时间同步网提供频率同步信号。此外,本地网一些终端用户(如移动通信3G基站)既要时间同步又要频率同步的,数字同步网可以独立向用户提供频率同步信号,也可以与时间同步网结合,走同一路径向用户提供频率同步信号。

(2)关于数字同步网不涉及IEEE1588V2技术的说明:

IEEE1588V2的PTP技术是从时间传递角度提出来的,此技术也可以用于传递定时频率信号。但是无论是传递时间还是传递定时频率,PTP技术都还处于探索和发展阶段。当前在传递定时信号方面,从实现的难易程度以及性能指标分析,PTP技术不如同步以太技术。鉴于以上原因,本规范在数字同步网中不涉及IEEE1588V2技术。

(3)SDH采用线路码流传送定时,即"在物理层线路码流传递、SDH网元接收后转发"的逐段转发方式。同步以太(简称SYNC-E)也采用线路码流传送定时,即"在物理层线路码流传递、IP网元接收后转发"的逐段转发方式。

3.3.4 可将通信区分为核心网和接入网,同步网的$18\mu s$指标分配专用于核心网。图3.3.4下端方框代表核心网TDM设备网元,如电话交换机等。

4 同步网工程设计

4.1 同步基准传送

4.1.1~4.1.3 这几条说明如下：

OTN 是近年新出现的光承载网，原理上可以透传所有大颗粒业务信息，包括业务信息里携带的同步定时信息，如 STM-N、GE 等信号。但 OTN 设备一般没有 2048kbit/s 接口来承接小颗粒业务信号，所以 SSU 的 2048kbit/s 定时信号不便直接进入 OTN 透明传递，需要先将 2048kbit/s 定时注入 SDH 承载于 STM-N 线路码流，或者注入同步以太网络承载于 GE 线路码流，然后经 OTN 透传。

将定时信号预先承载到 SDH 系统上，然后该 SDH 信号透明通过 OTN 的，宜看作 SDH 系统传定时的延伸，可归纳入 SDH 系统传定时范畴；将定时信号预先承载到同步以太上，然后该同步以太信号透明通过 OTN 的，宜看作同步以太系统传定时的延伸，可归纳入同步以太系统传定时范畴。此 OTN 透传方式不涉及 OTN 设备内部时钟，也不存在 OTN 设备与同步节点设备的接口问题。

最近，OTN 为了传递时间的需要，也可以像同步以太一样增加 OTN 网元时钟性能，在 OTN 网内逐段转发定时信号。

以上两种 OTN 传定时办法，无论是实现的难易程度还是性能状况，前者都优于后者。再者，时间同步网络和时钟定时网络的组织在逻辑上相互独立。因此本规范推荐采用 OTN 透传时钟。在特殊环境下（如需要在"有 OTN 网元而无业务开口点"的地点上下定时信号的），可采用 OTN 逐段转发时钟方式。

既然 OTN 透传时钟是依附于 SDH 的 STM-N 或同步以太的

FE/GE/10GE,OTN透传就没有必要另列章节描述,本规范仅仅将其作为SDH的定时传递的延伸手段和同步以太的定时传递的延伸手段。

当采用定时信号经由OTN网元时钟逐段转发而不是透明转发,OTN网络设备的接口要求和时钟要求应符合ITU-T有关OTN系列的标准规范。这些标准规范当前仍处于研究制订过程中。

4.1.4 利用SDH和同步以太传送同步基准要避免可能的定时自环,特别是某些故障使得定时路径重组后可能引发的定时自环。故强调同步工程设计应保证避免在各种故障情况下的定时环路现象,包括传输线路中断、同步节点时钟故障、卫星系统失效等。

4.2 同步节点时钟设备配置要求

4.2.1 本规范所说的卫星定位接收系统主要指GPS和(或)北斗卫星系统。卫星定位接收系统在自动定位后即可送出定时基准。

4.2.2 本条规定SSU设备接口用2048kbit/s或2048kHz,可根据工程需要增加其他种类配置。主要是基于SSU与分组网络的时钟接口考虑,关于SSU与分组网络的时钟同步接口说明如下:

(1)分组网设备网元的同步接口有两种类型:2048kbit/s和同步以太口(FE、GE、10GE)。考虑到同步以太口主要用于IP网络的IP网元设备之间的业务口,即在承载业务的同时携带时钟信息。若SSU用同步以太口携带时钟信息给IP网元,这个口就成了"专用"同步口,代价较高,但也不排除根据需要进行这类配置。

(2)SDH网设备网元的同步接口也有两种类型:2048kbit/s和STM-N。自SDH网络出现以来,SSU与SDH设备网元的同步接口仅用2048kbit/s口而不用STM-N口。STM-N主要用于SDH网元设备之间的业务口,即在承载业务的同时携带时钟信息。但也不排除根据需要配置STM-N为专用同步接口。

4.3 同步接口要求

4.3.1、4.3.4、4.3.6 由于2048kbit/s信号帧结构中可携带SSM信息,而2048kHz单频信号无法携带SSM信息,仅能通过人工设置端口,所以强调优先采用2048kbit/s。

4.5 设备布置及安装

4.5.4 同步网是通信网络的重要基础支撑网络,同步节点时钟设备应根据当地的地震烈度和现行行业标准《电信设备安装抗震设计规范》YD 5059的要求进行抗震加固。

4.6 布线要求

4.6.2 同步网工程设计界面在同步专用DDF处,即同步工程负责将SSU的输入、输出同步信号线及监测线布放到同步专用DDF。从同步专用DDF到楼内各通信设备的同步信号线,由各相关工程自行布放。

附录 A 同步节点时钟主要性能指标

A.0.1 第 3 款和第 4 款关于抖动和相位不连续性指标的说明如下：

我国 PRC 输出接口采用 2048kbit/s 而不采用 1544kbit/s，因此关于抖动和相位不连续性指标的 0.05UI 适用于 2048kbit/s 和 2048kHz。